M000121998

The Chinese Library Series
中文小书架

十二生肖

The Chinese Zodiac

文/陈琦 Carol Chen
画/班班 Anita Dai

北京语言大学出版社
BEIJING LANGUAGE AND CULTURE
UNIVERSITY PRESS

图书在版编目（CIP）数据

十二生肖／陈琦编文；班班绘—北京：北京语言大学出版社，2012 重印
（中文小书架少儿汉语分级读物. 初级）
ISBN 978-7-5619-2339-9

Ⅰ.十… Ⅱ.①陈…②班… Ⅲ.汉语—对外汉语教学—语言读物 Ⅳ.H195.5

中国版本图书馆CIP数据核字（2009）第093021号

书　　名：十二生肖
版式设计：张　娜
责任印制：汪学发

出版发行：北京语言大学出版社
社　　址：北京市海淀区学院路15号　邮政编码：100083
网　　址：www.blcup.com
电　　话：发行部　82303650 / 3591 / 3651
　　　　　编辑部　82303647/3592/3395/0090
　　　　　读者服务部　82303653 / 3908
　　　　　网上订购电话　82303668
　　　　　客户服务信箱　service@blcup.net
印　　刷：北京画中画印刷有限公司
经　　销：全国新华书店

版　　次：2009年6月第1版　2012年6月第3次印刷
开　　本：787毫米×1092毫米　1/24　印张：0.75　插页：2
字　　数：8千字
书　　号：ISBN 978-7-5619-2339-9/ H·09088
　　　　　01500

凡有印装质量问题，本社负责调换。电话：82303590

yǒu yì tiān, yù dì xiǎng zhǎo shí èr zhǒng
有一天，玉帝想找十二种

dòng wù dāng shēng xiào dòng wù men yì tīng dōu xiǎng dāng
动物当生肖，动物们一听都想当。

1

老鼠和猫是好朋友，它们想一起去报名。

kě shì dì èr tiān zǎo shang lǎo shǔ qǐ lai
可是，第二天早上，老鼠起来

shí māo hái zài shuì jiào tā jiù zì jǐ qù le
时，猫还在睡觉，它就自己去了。

路上要过一条河，可是老鼠不会游泳。这时，牛来了，老鼠说："牛大哥，我给你唱歌，好吗？"

4

牛说：“好！”老鼠跳到了牛的头上，唱起了歌。

5

guò le hé kàn jiàn le yù dì niú hěn kāi xīn
过了河，看见了玉帝，牛很开心，
tā duì yù dì shuō wǒ dì yī
它对玉帝说："我第一！"

这时，老鼠跳下来，跑到了牛的前面，说："我第一，牛在我后面。"

yí huìr，hǔ、tù、lóng、shé、mǎ、yáng、hóu、
一会儿，虎、兔、龙、蛇、马、羊、猴、

jī、gǒu hé zhū yě lái le。 shí èr zhǒng dòng wù dōu dào le
鸡、狗和猪也来了。 十二种动物都到了。

māo qǐ chuáng shí   yǐ jīng shì zhōng wǔ le
猫起床时，已经是中午了。

9

tā dào le hé biān　　shí èr shēng xiào yǐ jīng yǒu le
它到了河边，十二生肖已经有了，
yù dì yě zǒu le
玉帝也走了。

māo hěn shēng qì
猫很生气，
shuō lǎo shǔ bú shì péng you
说老鼠不是朋友。

从那天开始，猫一见到老鼠，就想吃了它。

小练习
Exercises

一、找生词 **Find the words or phrases**

报	后	前	运	礼
名	字	面	动	物
睡	中	国	字	看
觉	午	王	再	见

1 _____ front

2 _____ back

3 _____ gift

4 _____ noon

5 _____ to sleep

6 _____ animal

7 _____ good-bye

8 _____ king

9 _____ name

10 _____ to see

11 _____ Chinese characters

12 _____ to sign up

1. 玉帝想找多少种动物当生肖？
2. 老鼠在河边看到了谁？
3. 第二天猫是什么时候起床的？
4. 猫和老鼠现在是朋友吗？

三、找出下列每组词语中与其他三个不同的词 **Find the odd ones out**

1. A.跳　　B.跑　　C.想　　D.走
2. A.中午　B.下午　C.早上　D.老牛
3. A.羊　　B.狗　　C.龙　　D.兔子
4. A.白面　B.前面　C.后面　D.里面

四、词语配对 **Match the words on the left with those on the right**

前面　　　　　起床
睡觉　　　　　生气
开心　　　　　下
上　　　　　　后面

Fill in the blanks with the Chinese Zodiac in the correct order

鼠、牛、＿＿＿＿、＿＿＿＿、＿＿＿＿、＿＿＿＿、＿＿＿＿、

＿＿＿＿、＿＿＿＿、＿＿＿＿、＿＿＿＿和＿＿＿＿是十二生肖。

六、写一写你和家里人的属相 Which animal signs were you and your family members born under? Surf the Internet for them if you don't know the answers.

我的生日是　＿＿＿＿年＿＿＿月＿＿＿日

我属　＿＿＿＿＿＿＿

爸爸属　＿＿＿＿＿＿　　妈妈属　＿＿＿＿＿＿

爷爷属　＿＿＿＿＿＿　　奶奶属　＿＿＿＿＿＿

外公属　＿＿＿＿＿＿　　外婆属　＿＿＿＿＿＿

延伸阅读
Extended reading

shí ér shēng xiào xù
十二生肖（续¹）

老鼠和牛到了以后，老虎也游过了河，它告诉

玉帝，河里的水很急²，它力气³大，才可以游过

河。玉帝说："老虎第三。"这时，兔子来了，它

是站⁴在木头上，大风把它吹⁵过了河。兔子第四。

龙飞来了，玉帝问它："你会飞，为什么比兔子还

慢⁶？"龙说："我看到兔子在木头上，所以我就帮⁷

了兔子，在它后面吹风。"玉帝说："你做得好！

你第五。"蛇是在马背上，和马一起游过了河。

蛇第六，马第七。羊、猴子和鸡是好朋友，它们

一起做了一条船，过了河。 狗是第十一名，

它说："我很喜欢游泳，所以玩儿了一会儿

水。"猪是最后[8]到的，它说："路上，我吃了

很多东西，还睡了一觉。"

1. 续　　xù　　continuation (of a story)
2. 急　　jí　　turbulent
3. 力气　lìqi　strength
4. 站　　zhàn　to stand
5. 吹　　chuī　to blow
6. 慢　　màn　slow
7. 帮　　bāng　to help
8. 最后　zuìhòu　last

词语表 Vocabulary

报名	bào míng	to sign up
唱歌	chàng gē	to sing
吃	chī	to eat
当	dāng	to be; to become
到	dào	to arrive
第一	dì-yī	number one
动物	dòngwù	animal
都	dōu	all; both
给	gěi	for
狗	gǒu	dog
过	guò	to cross
河	hé	river
猴	hóu	monkey
后面	hòumian	after
虎	hǔ	tiger
会	huì	to be able to
鸡	jī	cock, hen, chicken
就	jiù	then
开始	kāishǐ	to begin
开心	kāixīn	happy
看见	kànjiàn	to see; to catch sight of
可是	kěshì	but
来	lái	to come
老鼠	lǎoshǔ	rat
龙	lóng	dragon
马	mǎ	horse
猫	māo	cat
们	men	*The plural suffix*
牛	niú	cow

跑	pǎo	to run
朋友	péngyou	friend
起床	qǐ chuáng	to get up
前面	qiánmian	before front
去	qù	to go
蛇	shé	snake
生气	shēngqì	angry
生肖	shēngxiào	Chinese Zodiac
睡觉	shuìjiào	to sleep
说	shuō	to say
跳	tiào	to jump
头	tóu	head
兔	tù	rabbit
想	xiǎng	to want
羊	yáng	sheep
一…就…	yī … jiù …	as soon as
已经	yǐjīng	already
一起	yìqǐ	together
游泳	yóuyǒng	to swim
玉帝	Yùdì	Jade Emperor (Supreme Deity of Taoism)
早上	zǎoshang	morning
找	zhǎo	to look for; to find
这时	zhèshí	at this time
中午	zhōngwǔ	noon
种	zhǒng	kind; species
猪	zhū	pig
自己	zìjǐ	self
走	zǒu	to leave; to walk